Hélène Paradis

L'univers magique de Maxime

Illustrations
Claire Anghinolfi

Éditions du Phœnix

© **2010 Éditions du Phœnix**

Dépôt légal, 2010
Imprimé au Canada

Illustrations : Claire Anghinolfi
Graphisme de la couverture : Guadalupe Trejo
Graphisme de l'intérieur : Hélène Meunier
Révision linguistique : Claire Jaubert

Éditions du Phœnix

206, rue Laurier
L'île Bizard (Montréal)
(Québec) Canada H9C 2W9
Tél.: (514) 696-7381   Téléc.: (514) 696-7685
www.editionsduphoenix.com

**Catalogage avant publication de Bibliothèque et
Archives nationales du Québec et Bibliothèque et
Archives Canada**

Paradis, Hélène, 1962-

 L'univers magique de Maxime
 (Les maîtres rêveurs ; 5)
 Pour enfants de 6 ans et plus.

 ISBN 978-2-923425-42-9

 I. Anghinolfi, Claire. II. Titre. III. Collection: Maîtres
rêveurs ; 5.

PS8631.A716U55 2010 jC843'.6 C2010-941453-5
PS9631.A716U55 2010

Conseil des Arts   Canada Council
du Canada   for the Arts

Nous remercions la SODEC et le Conseil des Arts du Canada
de l'aide accordée à notre programme de publication. Nous
reconnaissons l'aide financière du gouvernement du Canada
par l'entremise du Fonds du livre du Canada pour nos activités d'édition.

Hélène Paradis

L'univers magique de Maxime

BEACONSFIELD
BIBLIOTHÈQUE • LIBRARY

Éditions du Phœnix

Pour Maxime
et son papa

1

Le moment tant attendu

« Et la météo prévoit une superbe journée estivale. Bon samedi matin à tous ! Il sera précisément cinq heures trente dans trois, deux, un, zéro ! » annonce l'animateur.

D'un geste automatique, Maxime éteint son radio-réveil.

— Zéro ? marmonne-t-il entre deux bâillements. Mais oui : zéro dodo avant le départ !

Cette pensée le réveille pour de bon. Il s'étire, se lève et ouvre ses rideaux. Les premiers rayons du soleil illuminent sa chambre et lui donnent une belle teinte orangée. Il prend quelques instants pour la regarder ainsi, bien éclairée, car la nuit, c'est une autre histoire. Dès qu'il éteint la lampe de sa table de chevet, son imagination, elle, *s'allume*. Des bâtonnets blancs et lumineux se détachent du mur de sa chambre, s'avancent vers lui, puis se transforment en une armée de bonshommes fil de fer. Des points brillants fusent du coin du plafond et se mettent à tournoyer autour de lui, comme pour le garder prisonnier de son lit.

Mais ce qui effraie le plus Maxime, c'est cette immense ombre triangulaire qu'il a aperçue la première fois, lorsqu'il avait laissé les rideaux entrouverts, une nuit sans lune. Les bonshommes fil de fer en ont sûrement peur, eux aussi, car ils s'enfuient avec la traînée de points lumineux à leurs pieds ! Quand il voit cette ombre, Maxime voudrait se réfugier dans la chambre de ses parents, mais, à huit ans, il se sent déjà trop grand pour ça. Il s'enroule alors dans sa couette et attend le sommeil : il aimerait tant trouver une baguette magique pour s'endormir paisiblement jusqu'au lendemain !

Le sifflement de la bouilloire vient interrompre le fil de ses pensées : de bonnes odeurs, provenant du rez-de-chaussée, montent jusqu'à sa chambre. Maxime devine qu'un délicieux petit déjeuner l'attend !

Il enfile en vitesse son pantalon noir et son tee-shirt rouge préféré. Il remonte sa couverture vers la tête de lit, la tire un peu vers la droite, puis vers la gauche, encore à droite, et… « C'est trop compliqué ! » soupire Maxime. « Je renonce à perdre une seconde de plus à faire mon lit. » Il met son pyjama dans le sac de voyage préparé la veille et descend rejoindre son papa à la cuisine.

— Bonjour, Maxime ! Je vois que tu es prêt. C'est très bien ! Tiens, j'ai une tasse de chocolat chaud pour toi.

— Avec des œufs brouillés et des saucisses ! ajoute Maxime en laissant tomber son sac à côté des autres bagages, près de la porte d'entrée. J'ai tellement faim ! Merci, papa !

Tous deux dégustent leur petit déjeuner, puis révisent ensemble la liste des affaires à emporter.

— La carte routière… notre réservation… Je pense que nous avons tout.

— Attends, papa ! Je crois que j'ai oublié la brochure dans ma chambre, remarque Maxime.

Voyant les assiettes, les tasses et les poêles en équilibre précaire dans l'évier de la cuisine, ce dernier ne peut s'empêcher d'ajouter :

— Tu ferais mieux de ranger un peu avant de partir, sinon tu-sais-qui ne sera pas contente tout à l'heure…

— Et toi, Maxime, tu devrais venir m'aider! Viens ici que je t'attrape!

Maxime grimpe les marches de l'escalier deux par deux en un temps record. Il redescend fièrement quelques secondes plus tard, sa brochure entre les mains.

— Ça y est, on peut partir!

Peu de temps après, Maxime et son papa sortent de la maison sans faire de bruit : sa maman et sa petite sœur dorment encore. Les deux complices rangent leurs bagages dans le coffre, montent dans la voiture, puis bouclent enfin leur ceinture. Avant de tourner la clé dans le contact, son papa demande :

— Bon, que fait-on maintenant ?

Assis sur la banquette arrière, Maxime jette un coup d'œil dans le rétroviseur et y voit le sourire de son père.

— On y va !

2

L'inoubliable rêve

Ils sont sortis de la ville depuis une heure seulement, mais la route semble déjà longue à Maxime. À la vue du paysage monotone qui défile le long de l'autoroute, le jeune garçon cède à la tentation de poser la question tant redoutée des parents :

— Papa, quand est-ce qu'on arrive ?

— Ah non, pas déjà !

Maxime a vite compris, au ton de la voix de son papa, qu'il valait mieux se garder occupé. Par chance, il a emporté avec lui sa brochure touristique, son magazine sur les voitures de course et son encyclopédie de la mer.

— J'espère qu'on verra la grande baleine bleue. Sais-tu que c'est le plus grand mammifère au monde ? Elle pèse deux cents tonnes ! Elle est aussi longue que deux autobus ! Et pas les petits autobus scolaires : ceux du centre-ville !

— Dis donc, tu en sais des choses, mon beau Maxime !

Maxime préfère ce ton-là ! Il retourne à sa lecture et choisit cette fois sa précieuse brochure. Chaque fois qu'il la tient entre ses mains, un frisson lui parcourt le corps, de la pointe des cheveux jusqu'au bout des gros orteils. Même s'il tremble toujours à la pensée de l'ombre triangulaire, cette brochure lui rappelle l'étrange rêve qu'il avait fait lors de cette nuit sans lune. Il appuie donc sa tête contre le dossier du siège de la voiture et pense à cet inoubliable songe.

C'est la fin du printemps. Une fine couche de neige, tombée durant la nuit, recouvre encore le sol. Ce matin-là, Maxime se prépare à faire sa première promenade avec son Super vélo Cross à six vitesses. Mais juste avant d'enfourcher son vélo, le facteur s'approche de lui, un long tube en carton multicolore sous le bras. Il sort de son grand sac une enveloppe blanche rectangulaire.

— Voilà, c'est pour toi, jeune homme !

Maxime tend l'autre main pour recevoir le tube coloré. Au lieu de cela, le facteur le salue simplement d'un clin d'œil et lui tourne le dos. Déçu, Maxime examine tout de même l'enveloppe. Pas de timbre, de nom, ni d'adresse. Seulement la mention *Livraison spéciale*, écrite à la main, en lettres de couleur argent. Il lève les yeux pour interroger le facteur et s'étonne de ne pas le trouver devant lui : Maxime regarde tout autour, mais ne voit personne. Et, étrangement, aucune trace de pas dans la neige non plus !

Intrigué, le garçon s'assied sur la marche du perron pour examiner de nouveau l'enveloppe, dont le papier scintille sous les rayons du soleil. Après un moment d'hésitation, il se décide à l'ouvrir et en sort une petite brochure remplie de magnifiques photographies. Il tourne la première page : de minuscules flocons argentés tombent sur ses genoux. À la deuxième page, des images tirées d'un paysage marin se dessinent instantanément devant lui. Une longue plage de sable s'étend au pied d'une falaise vertigineuse où un phare rayé de rouge et de blanc se dresse sur une pointe de terre qui s'avance dans la mer. Une famille de bélugas s'amuse à sauter dans les vagues.

De l'une de ces photographies émane une telle force d'attraction que Maxime ne peut y résister. Mais au moment de s'envoler dans les airs, le garçon est distrait par le bruit d'une sonnerie. Les images se dissipent aussitôt. Un coup de vent soudain vient chasser les minuscules flocons argentés, éparpillés sur le perron.

Tout a disparu, sauf la brochure que Maxime tient fermement dans ses mains. Il essaie d'en lire le titre, mais les lettres s'estompent une à une, jusqu'à ce qu'elles disparaissent complètement. La sonnerie s'intensifie, devient insupportable. Dring! Ce matin-là, il s'était réveillé brusquement : sa main droite serrait une enveloppe invisible.

3

Drôle de courrier

Maxime se cale un peu plus confortablement dans son siège et passe en revue la suite des événements de cette journée.

Dring ! Le bruit de la sonnette d'entrée avait fini par le réveiller. Assis sur son lit, en sueur, il s'était épongé le front avec la manche de son pyjama. « Mais quel drôle de rêve… Il faut que je raconte ça à papa… » Contrairement à son habitude, Maxime, encore sous le choc, avait descendu l'escalier lentement en se retenant à la rampe.

— Bonjour, Maxime. C'est le facteur qui t'a réveillé? Il vient justement de livrer ceci pour toi.

Maxime, bouleversé, n'en avait pas cru ses yeux! Il en avait presque manqué la dernière marche. Son papa lui avait tendu une enveloppe blanche rectangulaire, qu'il avait ouverte d'une main tremblante et dont il avait sorti une brochure. Avant même de tourner la première page, il savait : il vivait son rêve.

Il avait voulu tout raconter à son père, mais n'avait pas réussi à prononcer une seule syllabe. Sa vue s'était brouillée par l'émotion, à un point tel qu'il avait été incapable de lire le titre sur la page couverture. Lentement, il avait feuilleté les pages une à une, sans voir les images.

Son père, lui-même impressionné par les magnifiques photographies de paysages, n'avait pas remarqué le trouble de son fils. Lorsqu'il avait enfin reconnu cette belle région, il s'était immédiatement exclamé :

— C'est là qu'il faut que nous allions pour notre sortie spéciale entre père et fils cet été !

Son papa n'en finissait plus de vanter les particularités offertes par cette belle destination où le fleuve Saint-Laurent ressemble à la mer. Un endroit où il y a surtout

des activités pour les amateurs de plein air, comme eux. Son enthousiasme avait chassé la sensation bizarre qui emprisonnait jusque-là Maxime. Rêve ou cauchemar, son imagination débordante lui jouait peut-être un tour !

Néanmoins, la perspective d'effectuer un long voyage, seul avec son papa, comme un grand, elle, était bien réelle. D'un commun accord, ils avaient donc décidé de partir dès la fin de l'école. Quand il était allé se coucher, ce soir-là, après une fin de journée consacrée à la planification de cette sortie bien prometteuse, Maxime avait placé la brochure sous son oreiller. C'est à partir de ce moment qu'il avait commencé à compter les dodos.

« Maintenant, se dit Maxime, plus besoin de compter ! » Il s'approche de la fenêtre pour mieux admirer le paysage.

Au bout de quelques heures, lorsque la route traverse d'interminables forêts de sapins, le jeune garçon tente de résister à la fatigue.

Ses paupières sont si lourdes ! Sans s'en rendre compte, il sombre dans un profond sommeil, là où son imagination fertile lui fera vivre une drôle d'aventure...

Une imagination débordante

Maxime rêve qu'ils sont enfin arrivés. La voiture s'est arrêtée au poste d'accueil, d'où sort justement le garde-forestier pour les accueillir :

— Bienvenue chez nous !

— Bonjour, monsieur ! Voici notre confirmation de réservation.

— Merci, mais je n'en ai pas besoin. Je vous attendais. Tenez, voici l'endroit où se trouve votre emplacement, ajoute-t-il en leur remettant la carte du site, marquée d'une croix rouge. Vous verrez, c'est un lieu magique. Je l'ai choisi expressément pour vous. Amusez-vous, et surtout, tenez-vous bien!

Le garde-forestier s'empresse de soulever la barrière pour les laisser passer, puis les salue d'un clin d'œil.

— Tenez-vous bien? As-tu entendu ça, Maxime? Le site doit être vraiment d'une beauté exceptionnelle! Mais que fais-tu, Maxime?

Paf! Et encore paf! Maxime est bien trop occupé pour voir ou entendre quoi que ce soit!

— Tu ne m'as pas dit qu'il y aurait plein de moustiques ! J'ai déjà cinq piqûres sur le bras et… Aïe ! Non, mais laissez-moi tranquille !

— Ne t'en fais pas, j'ai tout ce qu'il faut dans le coffre. D'ailleurs, nous y sommes. Comme c'est beau ici !

— Vite, papa, je n'en peux plus !

Quelques petits jets vaporisés de la tête aux pieds suffisent pour créer une barrière efficace contre ces insectes affamés. Maxime n'a plus qu'une idée en tête : aller se dégourdir les jambes. Sans perdre un instant, il se met à courir autour de leur terrain de camping. Il s'apprête à faire son dernier tour, quand un rayon de soleil vient éclairer l'entrée d'un sentier dans le petit bois. Intrigué, il se dirige vers celui-ci, mais se fait aussitôt rappeler à l'ordre.

— Pas si vite, jeune homme ! Nous pourrons bientôt jouer les explorateurs, mais pour l'instant, nous avons une tente à monter ici !

Maxime s'arrête net et, à regret, va rejoindre son papa pour l'aider à sortir les poteaux, les cordes et les piquets. Grâce à leur travail d'équipe, ils seront vite installés.

— Merci, Maxime ! Donne-moi encore quelques minutes et nous partirons ensemble.

Quelques minutes ? Maxime aurait préféré entendre « quelques secondes ». Quand son papa parle de quelques minutes, ça peut être long !

Le garçon décide donc de commencer à explorer un peu les environs en l'attendant. Sa curiosité le ramène à l'endroit remarqué plus tôt. « Tant que je reste sur le sentier, je ne peux pas me perdre », se dit Maxime pour se rassurer. Il s'avance de plus en plus dans le petit boisé et oublie tout de la promesse faite avant de partir en voyage. Celle de ne jamais s'éloigner…

5

Le secret
du petit buisson

Tout au bout du sentier, de petits éclats de lumière dans la végétation ont attiré son attention. « Ce ne sont sûrement pas des lucioles : l'après-midi ne fait que commencer ! », se dit Maxime qui s'avance plus près. Caché au beau milieu de plants de bleuets, il découvre un buisson garni de petites feuilles ovales vert mousse et argent. Les branches du buisson commencent à s'agiter doucement à l'approche du petit aventurier. Le soleil de midi fait miroiter le dessus argenté des feuilles. Maxime repousse les branches du magnifique arbuste. Quelques fruits bien mûrs tombent par terre, mais le jeune garçon ne pense même pas à les ramasser tellement il est intrigué par ce qu'il voit. Lorsqu'il s'apprête à toucher l'une de ces feuilles, une bourrasque de vent survient avec une force incroyable. Maxime en perd l'équilibre et se retrouve les deux fesses par terre.

C'est à ce moment qu'un énorme nuage de minuscules flocons argentés s'échappe du buisson. Maxime

entend un bruissement de feuilles, puis un sifflement. Il voit tout à coup surgir des broussailles quelque chose qui ressemble à une fusée autour de laquelle est enroulée une ficelle argentée. La fusée s'élance et monte haut dans le ciel en laissant derrière elle une traînée scintillante. Elle fait un grand cercle, revient vers Maxime, puis s'arrête à quelques centimètres de lui. La ficelle se déroule lentement et libère une voile multicolore.

Gonflée par le vent, la voile se déploie complètement et laisse voir deux légers bâtons placés en forme de croix. Maxime en a le souffle coupé.

— Oh…, finit-il par dire, avant de s'écrier : Papa ! Papa ! Au secours !

Par chance, son papa n'est pas loin. Celui-ci se doutait bien que son fils risquait de vite oublier sa promesse, car Maxime était trop excité pour l'attendre sagement ! Il était donc parti à la recherche de son fils, dès qu'il avait remarqué son absence.

— Mais qu'est-ce que c'est ça ? C'est un… c'est un…

— C'est un gigantesque cerf-volant, papa !

Demeuré jusque-là immobile dans les airs, le cerf-volant fait une montée spectaculaire en zigzag, puis se laisse retomber en douceur avant de redescendre près d'eux. De la pointe de l'une de ses ailes, il se met à leur donner de petites poussées sur les jambes pour les faire basculer. Maxime et son père ont tout juste le temps de s'asseoir, que le cerf-volant recommence à s'agiter dans le vent, qui s'est levé de nouveau. Tandis que la ficelle fouette le sol d'impatience, une deuxième bourrasque tend la voile au maximum. Le cerf-volant décolle du premier coup.

— Accroche-toi bien, Maxime !

Maxime l'imite et s'agrippe au bord du cerf-volant. Ils volent à si basse altitude que leurs pieds effleurent la cime des arbres. Le cerf-volant descend encore un peu plus bas et se dirige vers le buisson argenté. Lorsque sa ficelle vient chatouiller l'une des branches du petit buisson, celui-ci s'illumine des racines jusqu'à la pointe des feuilles.

Le cerf-volant reprend de l'altitude en direction du poste d'accueil, à l'entrée du parc. Maxime distingue au loin la silhouette du garde-forestier, appuyé contre la barrière. Il semble attendre quelqu'un, ou quelque chose. Lorsque le cerf-volant n'est plus qu'à un battement de voile du poste, le garde se redresse, fixe Maxime droit dans les yeux et le salue d'un clin d'œil. Le garçon en reste bouche bée. Un frisson lui parcourt la colonne vertébrale. « Ce clin d'œil, je l'ai déjà vu quelque part… », pense Maxime, étonné. Il fixe à son tour le garde, mais ce dernier s'adresse maintenant au cerf-volant et, d'un air entendu, lui indique le large par un grand geste de la main.

Pris d'une soudaine vivacité, le cerf-volant vire un peu trop brusquement, jetant presque ses deux passagers par-dessus bord. Lorsqu'il voit la ficelle argentée passer devant lui, le papa de Maxime l'attrape juste à temps pour reprendre son équilibre. Il serre son fils contre lui et se laisse guider en toute confiance. Maxime, lui, troublé par le regard du garde-forestier, entoure la taille de son papa de toute la force de ses petits bras et se laisse apaiser par son contact rassurant.

Le cerf-volant met finalement le cap sur le fleuve et Maxime et son papa s'envolent à l'aventure.

6

Une rencontre
bien arrosée

Du haut des airs, la vue est magnifique : de gros nuages cotonneux se promènent dans le ciel. Une légère brise forme des moutons blancs sur les vagues de l'océan bleu saphir aux reflets éblouissants. Maxime et son papa sont envoûtés par la magie du panorama.

— Maxime! Regarde vite à droite! Je viens de voir quelque chose sortir de l'eau.

Maxime observe la mer; il a beau plisser les yeux, mais ne voit rien. Soudain, il l'aperçoit.

— Papa! Je l'ai vue! C'est la grande baleine bleue!

— Oui, je la vois aussi! Zut… elle a déjà replongé…

Le cerf-volant descend et dessine de grands cercles au-dessus des vagues. Maxime et son papa examinent attentivement la surface de l'eau durant une bonne quinzaine de minutes.

— La revoilà, s'écrie le garçon en indiquant du doigt l'énorme baleine bleue. Elle bondit hors de l'eau en soufflant l'air de ses deux évents. Son souffle puissant monte jusqu'au cerf-volant… et jusqu'aux narines de Maxime.

— Je ne savais pas qu'il dégageait cette odeur-là !

Le grand mammifère marin éclabousse les deux voyageurs avant de retomber lourdement dans les vagues et disparaître lentement sous l'eau.

— Brrr … l'eau est … fffroide, bégaye Maxime, qui s'essuie le visage avec le bas de son tee-shirt.

Il ne peut s'empêcher de scruter la surface de l'eau. Il aimerait tant la revoir encore. Tandis que le père et le fils continuent leur vol au-dessus des vagues, Maxime remarque des taches blanches qui se déplacent à la surface de l'eau.

— Papa, regarde : un groupe de bélugas !

Comme les bélugas ne nagent pas très vite, le cerf-volant ralentit son allure pour les suivre. Il vole si près de l'eau que l'on peut même y tremper la pointe des pieds. Maxime aperçoit un plus petit béluga au milieu du troupeau.

— Tu vois, papa, celui-là est encore bébé. Sa peau est gris bleuté.

— Tu es vraiment le spécialiste des baleines, toi !

À ce moment précis, le bébé béluga sort la tête de l'eau et montre son beau sourire au garçon. Il replonge de nouveau, puis refait surface en sautant par-dessus les vagues. Il semble bien s'amuser à frapper l'eau avec sa queue !

Maxime ne peut résister à l'envie de jouer avec lui et se met à tapoter l'eau avec ses pieds. Plein d'entrain, le petit béluga accomplit des prouesses que seul un béluga peut faire : il tourne la tête de gauche à droite, puis de bas en haut, et émet toute une série de sons pour communiquer son bonheur. Ces joyeuses vocalises se mêlent aux éclats de rire de Maxime, qui réjouissent son papa. Mais ce dernier n'est pas le seul à avoir entendu cet échange sonore. Une plus grande baleine, toute blanche, s'approche lentement d'eux.

— Non, pas déjà, murmure le garçon, déçu.

Son papa devine l'émotion de Maxime et s'empresse d'ajouter :

— Voilà sa maman qui revient le chercher. Ils doivent poursuivre leur route vers l'aventure. Tout comme toi et moi. Comprends-tu, fiston ?

Tandis que le cerf-volant reprend de l'altitude, Maxime regarde les cétacés s'éloigner, le cœur gros.

— Au revoir, petit béluga, dit-il, un sanglot dans la gorge.

Il sent la main de son père se poser sur la sienne. Encouragé par ce geste réconfortant, Maxime essuie rapidement une larme qui coulait sur sa joue. Même si, au fond, il sait bien qu'il ne reverra jamais plus son nouvel ami des mers, il conservera le souvenir de son beau sourire, pour toujours.

7

Chasse en plein vol

Au loin, en bordure d'une péninsule, une plage de sable s'étire
jusqu'au pied d'une falaise vertigineuse. Le cerf-volant délaisse l'air
du large pour prendre la direction
du rivage. Il virevolte en douceur,
tout en s'approchant de la côte
escarpée. Bercé par le rythme des
montées et des descentes, Maxime
se détend peu à peu. Tout à coup,

le cerf-volant s'arrête net. Maxime est projeté violemment contre le dos de son papa.

— Aïe !

— Tout va bien, papa ? demande Maxime, tout à fait ranimé par cet arrêt brutal.

— Oui, oui, ça va… Ce cerf-volant aurait besoin d'un bon cours de conduite ! Mais que se passe-t-il encore ?

Sans le courant d'air chaud qui les supporte, les deux voyageurs tomberaient à pic ! Le cerf-volant est resté figé à quelques mètres de la falaise. Un coup d'œil suffit au papa de Maxime pour en découvrir la raison : celui-ci vient de remarquer une multitude de petites taches noires et blanches, cachées dans les niches de la paroi. Sans perdre une seconde, il tire la ficelle à maintes reprises pour sortir le cerf-volant de sa torpeur. « J'espère seulement que ce n'est pas ce à quoi je pense » se dit-il, quand il entend Maxime lui demander d'un ton craintif :

— Papa, qu'est-ce que c'est ?

Des centaines d'oiseaux blancs à la tête noire les observent de leur regard pénétrant.

— Ce sont des sternes arctiques, s'empresse de répondre son papa. Elles se reconnaissent facilement à leur bec orange et à leur queue fourchue. Nous sommes vraiment trop près, elles n'aimeront pas ça !

Le cerf-volant redémarre enfin, mais trop tard. La sterne sentinelle, gardienne de la colonie, vient de les repérer et émet un cri strident. Toutes ses congénères attendaient impatiemment ce signal. Elles se lancent aussitôt à la poursuite des aventuriers afin de les chasser de leur territoire.

— Tiens bon, Maxime ! Ces oiseaux détiennent le record de la plus longue distance parcourue en vol. Comme celle de la Terre à la Lune !

Le cerf-volant file à la vitesse de l'éclair. La ficelle argentée fouette l'air frénétiquement afin d'éloigner les oiseaux en colère, mais ces derniers tiennent bon.

Voraces, ils prennent un malin plaisir à mordiller les chevilles des deux passagers.

— Oiseaux de malheur, vous avez gagné. Nous partons ! crie Maxime, exaspéré.

Les sternes redoublent d'ardeur malgré la capitulation du garçon et s'en prennent maintenant à ses cheveux et à ses oreilles. Leurs ailes battent si fort qu'un tourbillon de milliers de petites plumes se crée autour d'eux et se transforme en un épais brouillard.

— Nous partons… mais où allons-nous, au juste ? demande le papa de Maxime, inquiet.

Le cerf-volant, complètement désorienté par le nuage de plumes, file tout droit vers la péninsule formée de gros rochers.

— Oh non… Vite, Maxime, cramponne-toi !

Les deux prisonniers de cette envolée infernale ne peuvent rien faire pour échapper à leur sort. Maxime veut être brave, lui aussi, mais les battements de son cœur trahissent son angoisse. Il se recroqueville contre son père, comme s'il cherchait à se faire plus petit et voulait se cacher sous une couverture invisible. Et comme s'il pouvait échapper au pire d'un coup de baguette magique, le garçon ferme les yeux bien fort. Poursuivis par la nuée d'oiseaux vengeurs, les deux passagers se dirigent tout droit vers la catastrophe.

8

Par ici la sortie

Sur les rochers, à l'horizon, une grande silhouette cerclée de larges rayures rouge et blanc se profile de plus en plus nettement. Une lumière blanche à son sommet clignote à intervalles réguliers, tandis que retentissent les signaux de brume.

— Plus de doute, c'est bien ce que je pensais… Phare droit

devant, s'exclame le papa de Maxime avec effroi. Attention !

Quelques secondes de plus et la collision sera fatale. Cependant, au moment de l'impact, la fenêtre du phare s'ouvre mystérieusement et un grand courant d'air entraîne le cerf-volant à l'intérieur. Les sternes n'ont pas la même chance, car la fenêtre se referme juste à temps ! Tour à tour, elles viennent s'agglutiner près de la vitre, avant de tomber évanouies, en contre-bas, dans les buissons.

— Il s'en est fallu de peu… prononce le papa de Maxime, d'une voix étouffée.

Pris de tremblements incontrô-lables, il respire profondément pour tenter de se calmer, mais sans succès. Il en devine vite la raison. En réalité, c'est son fils qui, les bras enroulés autour de sa taille, les yeux toujours fermés, tremble comme une feuille!

— Ça va, Maxime, nous sommes en lieu sûr.

Maxime ouvre les yeux. Malgré la pénombre, il distingue un décor familier. Les murs et le sol sont construits de vieilles planches de bois verni; des photographies en noir et blanc laissent voir les portraits des anciens habitants. Des objets maritimes en cuivre sont accrochés un peu partout. Un grand escalier en colimaçon domine le centre et, sur sa rampe, le cerf-volant oscille de gauche à droite, tentant péniblement de conserver son équilibre. Soudain un deuxième courant d'air s'engouffre dans le phare et le pousse sur la main courante.

— Papa, j'ai peur !

Pour la première fois depuis le début de leur aventure, son papa ne veut pas répondre, mais les mots sortent tous seuls de sa bouche :

— Moi aussi !

Le cerf-volant glisse et sa descente en spirale s'accélère au fur et à mesure qu'il dégringole les sept paliers du phare. Maxime et son papa, à la merci de leur moyen de transport, n'ont pas le temps de voir les étages ni de penser à quoi que ce soit. Le cerf-volant atteint

la dernière marche, continue sa glissade sur le plancher de pierre du rez-de-chaussée, sort par la porte du phare, restée ouverte, pour atterrir finalement sur le gazon. Ce vol endiablé se termine dans un fouillis de toile, de bâtons et de ficelle. Maxime et son papa en sont tout étourdis ! Ils essaient de se relever, mais se rassoient aussitôt, trop épuisés pour se tenir debout.

— Rien de cassé, Maxime? Je n'ai jamais été aussi soulagé de retrouver le plancher des vaches!

— Mais voyons, papa, il n'y a pas de vaches ici! Es-tu sûr que tu vas bien? Regarde autour de toi : il n'y a que la mer et un phare…

Maxime s'interrompt. Il reconnaît tout de suite l'endroit.

— Mais c'est le phare de ma brochure! s'écrie-t-il.

Le titre enchanteur de sa brochure lui revient tout à coup.

— Mais oui! L'univers *magique* de la côte!

9

Retour à la case départ

Assis l'un contre l'autre, face à la mer, Maxime et son papa regardent le soleil se coucher à l'horizon. Leur corps a bien besoin de ce moment de répit, même s'il est de courte durée.

— Papa, tu ne comprends pas. C'était une aventure vraiment *magique*! C'est écrit dans ma...

— Voyons, Maxime, il doit bien y avoir une explication scientifique à tout ceci, répond son papa en désignant l'endroit où se trouvait le cerf-volant.

Les deux aventuriers constatent avec surprise que le cerf-volant a disparu ! Sans perdre un instant, ils partent à sa recherche. Derrière le phare, près des buissons, à la surface de la mer, haut dans le ciel, rien : le cerf-volant est bel et bien parti.

— Il semble que notre aventure *magique*, comme tu dis, se termine ici… Allez, viens, Maxime. Il est temps de retourner à notre tente.

Tout comme son papa, Maxime s'est résigné à abandonner la recherche. Il est tout de même déçu de ne pas avoir vu le cerf-volant une dernière fois, ce compagnon inattendu qui leur a fait vivre des moments inoubliables.

Alors qu'ils s'apprêtent à prendre le sentier pour se rendre à leur site, ils remarquent une silhouette qui s'éloigne au pas de course, un long tube multicolore sous le bras. Sur son passage, tous les buissons en bordure du petit bois s'illuminent les uns après les autres, avant de s'éteindre définitivement. Maxime et son papa courent pour rattraper la silhouette, mais celle-ci disparaît aussitôt dans l'obscurité naissante du crépuscule. Tous deux poursuivent leur chemin en silence, absorbés dans leurs pensées. Les explications, scientifiques ou magiques, attendront demain, car il se fait tard. Ils sont fatigués et ils ont faim.

— Maxime, veux-tu préparer le feu de camp ? Mais… attends-moi pour l'allumer !

Tandis que Maxime assemble les brindilles et dispose minutieusement les plus grosses bûches par-dessus, son papa apporte ce dont il a besoin pour préparer le barbecue.

— Papa, n'oublie pas les guimauves !

Comment son papa pourrait-il les oublier ? Il aime les guimauves grillées autant que Maxime ! Repus et détendus par le bon repas, le père et le fils observent le feu en silence. Les flammes blanches, jaunes,

orange et parfois vertes se déga-
gent des bûches et lancent des
étincelles dans la nuit. Maxime a
de plus en plus de difficulté à
garder les yeux ouverts, mais n'ose
rien dire. Il aime tant ces moments
en tête-à-tête avec son père, qu'il
voudrait les faire durer éternelle-
ment. Pourtant, les bâillements de
plus en plus fréquents de son papa
ne trompent pas. Maxime s'atten-
dait bien à l'entendre dire d'une
minute à l'autre :

— Bon… Je pense qu'il est
temps d'éteindre les tisons et
d'aller faire un brin de toilette.

Quelques instants plus tard, de
retour à la tente, chacun enfile son
pyjama et s'insère sans tarder dans
son sac de couchage.

— Bonne nuit, papa. Je t'aime !

— Bonne nuit, Maxime. Je t'aime aussi ! répond son papa, fidèle au rituel du dodo.

Quelques minutes plus tard, les ronflements se mêlent déjà au chant des grillons, tandis que Maxime, pourtant bien fatigué tout à l'heure devant le feu de camp, ne parvient pas à fermer l'œil ! Ne pourra-t-il donc jamais réussir à s'endormir du premier coup ?

Magie d'une nuit
sans lune

Le ciel a revêtu son habit de velours noir, sur lequel la Voie lactée sème ses milliers d'étoiles scintillantes. Maxime replace pour la dixième fois son petit oreiller de camping après s'être retourné autant de fois dans son sac de couchage.

Étendu sur le dos, les yeux grands ouverts, il écoute attentivement les bruits nocturnes, tentant chaque fois de deviner de quel animal il s'agit. Par chance, les ronflements ont cessé! Le garçon réussit à identifier le cri rauque d'un fou de Bassan, le hululement d'un hibou, et même le hurlement lointain d'un loup. Puis, il entend un son différent, comme un froissement d'ailes de grande envergure qui agiteraient l'air. Ce bruit-là, Maxime est certain de le reconnaître. Il retient sa respiration le plus longtemps possible. Le même bruit résonne de nouveau au moment où le jeune campeur voit passer une ombre derrière l'un des panneaux de la tente.

Il n'a définitivement plus sommeil maintenant. Il se redresse sur son matelas et, le cœur battant la chamade, attend. Au bout de quelques minutes, Maxime commence à trouver le temps long lorsqu'un petit rayon de lumière apparaît sur l'un des coins de la tente. Le rayon lumineux zigzague jusqu'au milieu de la porte moustiquaire, puis se divise en de minuscules bâtonnets blancs.

— Oh non ! lance Maxime, craintif, pas encore les bonshommes fil de fer…

Les bâtonnets vont et viennent de bas en haut, de gauche à droite, puis s'arrêtent et s'alignent les uns derrière les autres pour former trois grands bâtons. À cet instant, l'ombre revient cette fois se placer juste derrière eux. Le cœur de

Maxime bat à tout rompre, mais pour une tout autre raison. Au plus profond de lui-même, il sait ce qui l'attend de l'autre côté de la tente.

Plein d'espoir, il sort de son sac de couchage et se faufile dehors. Une traînée de flocons argentés tourne autour de la tente. « Mais… on dirait les points lumineux de ma chambre ! Et les bonshommes fil de fer, alors… ces trois grands bâtons ? Et… Et l'ombre qui m'avait fait si peur serait donc celle du… » Maxime n'ose pas terminer sa phrase, de peur de se tromper. Il lève les yeux et, malgré la noirceur de cette nuit sans lune, il l'aperçoit dans toute sa splendeur.

Supporté par une douce brise, le cerf-volant tournoie lentement au-dessus de lui. De sa ficelle argentée s'échappe une traînée de flocons scintillants. Hypnotisé par la magie de ce spectacle, le garçon aimerait conserver ce moment féérique dans sa mémoire pour toujours.

Une idée lui vient alors. Il rentre dans la tente sans faire de bruit pour ne pas réveiller son papa et trouve exactement ce qu'il cherchait. Il en ressort tout aussi silencieusement et, sans perdre une seconde de cet instant magique, tend une petite carafe transparente vers le ciel.

Alors que Maxime regarde les flocons argentés emplir son petit récipient, il revoit les merveilleux moments vécus grâce au cerf-volant. Il ressent aussitôt une intense sensation de bien-être : c'est là qu'il comprend tout. Il vient de trouver sa baguette magique.

Un coup de vent soudain, que Maxime reconnaît aussitôt, annonce le départ. La ficelle argentée vient frôler sa joue, comme une caresse d'adieu, tandis que le cerf-volant tend sa voile. Il effectue lentement un dernier cercle autour de la tente. La petite carafe pressée contre son cœur, il le regarde monter dans la nuit. Puis, le garçon retourne à l'intérieur de la tente et se blottit dans son sac de couchage, le petit récipient toujours contre lui. Il ne peut résister à l'envie de le secouer pour revoir la danse des paillettes argentées. « Comme c'est beau », se dit-il.

Un doux frisson lui parcourt le corps. Les muscles de ses bras et de ses jambes se relâchent. Il ferme les yeux, pousse un grand soupir et s'endort comme touché d'un coup de baguette magique.

À l'entrée du parc, dans son poste d'accueil, le garde-forestier referme son agenda. De la fenêtre laissée entrouverte, il entend au loin le froissement de voile familier. Il éteint alors sa lampe à l'huile, verrouille la porte et s'engage d'un pas léger sur le sentier.

Le cerf-volant vient le rejoindre et s'arrête tout près de lui. Comme à l'accoutumée, le garde s'assied délicatement sur son aile et prend la ficelle argentée dans ses mains. Leur travail, ici, est maintenant terminé, car déjà, là où le sommeil tarde à venir, une autre mission les attend. L'air du large les soulève doucement et ils s'envolent, accompagnés d'une constellation de flocons argentés.

C'est à ce moment que le bruit des pneus sur le gravier tire Maxime de son sommeil. « J'aimerais bien que ma sortie spéciale avec Papa ressemble à celle de mon rêve ! » soupire-t-il. Il baisse la fenêtre et respire avec plaisir l'air frais et salé du large. À travers les branches de pins, le garçon distingue le bleu de la mer qui s'étend à l'horizon. Ils sont enfin arrivés ! La voiture s'arrête devant la barrière du poste d'accueil du camping. Le papa de Maxime s'apprête à donner le formulaire de réservation au garde-forestier, mais ce dernier lui répond gentiment :

— Non, merci, je n'en ai pas besoin. Je vous attendais…

Et il salue Maxime d'un clin d'œil. Le garçon sent les battements de son cœur s'accélérer. C'est alors qu'un coup de vent fait s'envoler la brochure touristique hors de la voiture. Le garde l'attrape juste à temps pour la remettre à Maxime, le titre bien en évidence.

Un grand sourire illumine le visage du garçon. Content, il s'empresse de relire à voix haute : *Découvrez l'univers magique de la côte. Une aventure palpitante vous y attend !*

TABLE DES MATIÈRES

Hélène Paradis

Hélène Paradis est née à Saint-Hyacinthe en 1962 et a grandi au pied du mont Saint-Hilaire. Diplômée du Cégep du Vieux-Montréal, elle commence sa carrière à titre de graphiste, mais son intérêt pour les pays étrangers la conduit à travailler dans le domaine du voyage. Plus tard, une certaine attirance pour la langue, présente depuis toujours, l'incite à entreprendre des études en rédaction. Après avoir suivi plusieurs cours, elle écoute la voix de plus en plus pressante de son intuition et écrit une histoire. Aujourd'hui, ce premier roman, qui nous fait entrer dans *L'univers magique de Maxime*, lui permet de réaliser son plus grand souhait, écrire pour la jeunesse.

Elle demeure maintenant à Beaconsfield avec son mari, ses deux enfants et leur petite Sheltie, et se consacre à l'écriture pour offrir de beaux moments d'évasion aux jeunes lecteurs, grâce au pouvoir magique de leur imagination.

Claire Anghinolfi

Après avoir obtenu son diplôme d'illustratrice à l'École Émile Cohl de Lyon, Claire Anghinolfi décide de s'expatrier au Québec, bien loin de la Suisse de sa jeunesse. Après un bref séjour en entreprise, elle décide de travailler à son compte et multiplie les rencontres et les découvertes dans le riche milieu de l'art montréalais.

Son travail artistique, tout en contrastes et en couleurs, reflète sa fantaisie mystérieuse, son goût pour les différentes cultures du monde et les belles œuvres d'un passé idéalisé. Claire a toujours eu une myriade de passions qui l'inspirent et nourrissent son imaginaire vagabond, qu'elle prend plaisir à communiquer aux plus jeunes, à travers son univers visuel à la fois structuré, détaillé et foisonnant.

Achevé d'imprimer en août 2010
sur les presses de l'imprimerie Gauvin,
Gatineau, Québec